Méthode de français

ZigZag+

1

A1.1

W0006962

Cw00808948

Cahier d'activités

Hélène Vanthier

CLE
INTERNATIONAL

1 **Observe la carte. Colorie en vert le pays où tu vis. Colorie en rouge l[e**

2 **Observe la carte et associe chaque petit texte à un enfant.**

สวัสดีค่ะ หนูชื่อณัฐฐา หนูเป็นคนไทย
อาศัยอยู่ที่กรุงเทพฯค่ะ **1** ...

Hello, my name is Shelley.
I live in Sydney, Australia. **2** ...

Bonjour ! Je m'appelle Emma ! **5**
J'ai 7 ans et j'habite en France. ...

Привет! Меня зовут Миша. **6**
Я живу в Москве. ...

...ys où l'on parle français.

مرحبا ! .. اسمي سميره و أسكن القاهرة. **3** ...

¡Hola! Me llamo Pedro. Y vivo en Lima, Perù. **4** ...

Je m'appelle Max.
J'habite au Canada. **7** ...

大家好，我叫赵璐，今年我8岁了，我住在北京，我是中国人. **8** ...

A, B, C ...

1 🎧 2 🎤 Écoute et chante la chanson de l'alphabet.

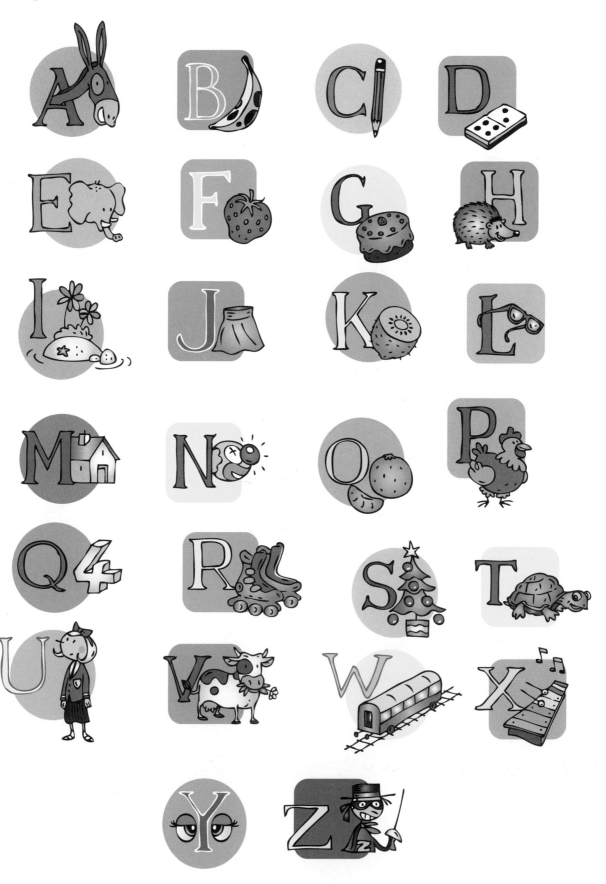

1 Entoure la phrase qui correspond à l'image.

a. Il s'appelle Tilou.

b. Elle s'appelle Alix.

c. Il s'appelle Félix.

a. Elle s'appelle Bouba.

b. Elle s'appelle Lila.

c. Il s'appelle Lila.

2 Observe et complète.

Bouba – Tilou – Félix – Pic Pic – Lila – Pirouette

1 Il s'appelle

....

2 Elle s'appelle

....

3 .... s'appelle

....

4 ...... s'appelle

....

5 .... s'appelle

....

6 ...... s'appelle

....

3 5 écr Écoute, écris et dessine.

①━ ━ ━ ━ ━

②━ ━ ━ ━ ━

③━ ━ ━ ━ ━

④ ━ ━ ━ ━ ━ ━ ━ ━

4 écr **Dessine-toi et écris ton prénom.**

Bonjour, je m'appelle

....

1, 2, 3, C'EST PARTI !

1 Écoute et relie les nombres ! Qu'est-ce que tu vois ?

2 Relie chaque dessin au bon nombre.

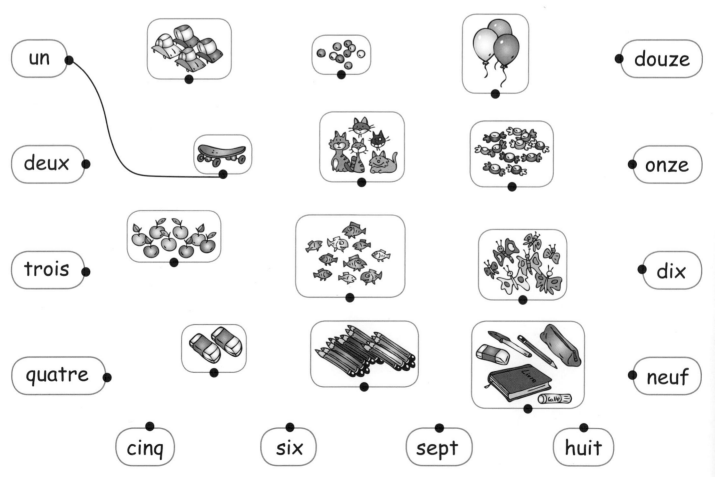

un

deux

trois

quatre

cinq   six   sept   huit

douze

onze

dix

neuf

3  Colorie le nombre qui correspond à la quantité d'objets.

	(un)	(sept)	(six)	(cinq)
	(trois)	(douze)	(dix)	(deux)
	(cinq)	(quatre)	(neuf)	(huit)
	(quatre)	(onze)	(huit)	(trois)

4 Complète.

1 Elle a trois ans.

2 Il a ....ans.

3 Il a ....

4 ....

5 Et toi, tu as quel âge ?

J'ai ....

1 Écoute et colorie.

2  Aide Pic Pic à colorier les camions.

Ces deux séries de six camions se suivent toujours dans le même ordre :
le camion n° 1 est rouge, le camion n° 6 est orange…

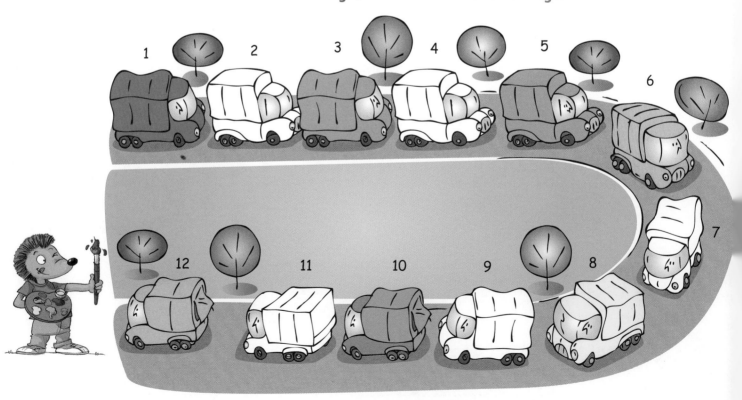

1  **Relie chaque ballon à son étiquette.**

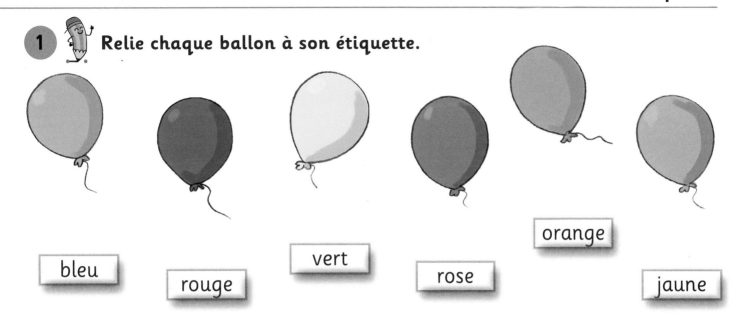

bleu

rouge

vert

rose

orange

jaune

4 **Lis et colorie.**

1 Lila a un ballon jaune.

2 Tilou a un poisson orange
et un ballon vert.

3 Pirouette a un ballon rose.

4 Bouba a deux ballons :
un ballon jaune et un ballon rouge.

1 **Écris chaque mot dans sa silhouette.**

bleu   rouge   jaune   vert   orange   rose

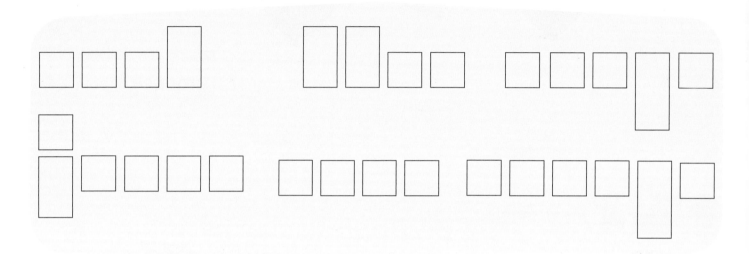

2  **Trouve et colorie les nombres de un à douze.**

b	a	t	r	o	i	s	e
q	u	a	t	r	e	m	e
s	i	x	a	h	u	i	t
o	u	s	e	p	t	a	n
n	d	o	u	z	e	o	s
z	u	n	l	d	e	u	x
e	r	n	e	u	f	u	s
c	i	n	q	a	d	i	x

JE LIS, JE COMPRENDS

3 **Relie chaque bulle à une vignette.**

Bonjour monsieur, 5 ballons, s'il vous plaît !

Au revoir Tilou ! Bon voyage !

Merci monsieur !

Oh regardez ! Des ballons !

Voilà madame ! Un ballon bleu, un ballon jaune, un ballon rouge, un ballon vert et un ballon rose !

1   Qu'est-ce que tu entends ? Écoute et numérote les dessins.

 n° ...

 n° ...

 n° ...

 n° ...

 n° ...

 n° ...

 n° ...

 n° ...

2   Écoute et entoure le bon dessin.

3 **Relie les mots et les dessins.**

• un chat •

• une vache •

• un canard •

• un mouton •

• un coq •

• un âne •

• une poule •

• un chien •

4  **Félix fait une photo ! Lis et dessine.**

Sur la photo il y a un chat, deux poules, trois moutons et une vache.

IL Y A COMBIEN DE POUSSINS ?

1 [10] Bingo des nombres ! Écoute et joue avec tes camarades.

5 + 2	1	14	20	3 + 5
2 + 2	11	4 + 6	12	19
13	3 + 2	2	11 + 5	9 + 9
2 + 4	12 + 3	9	8 + 9	3

2 Cot cot cot codett ! Observe, lis et coche les bonnes phrases.

a Il y a onze poules. ☐

b Il y a neuf poussins. ☐

c Il n'y a pas de mouton. ☐

d Il n'y a pas de coq. ☐

e Il y a dix-neuf œufs. ☐

f Il y a un chat. ☐

3  Écoute et coche si tu entends [a] comme dans 🐱 puis colorie.

4 Lis et entoure les mots où tu entends 👂 [a].
Écris les mots dans le tableau.

un **lama** - un **croissant** - **quatre** - un **âne** - **jaune** - une **vache**

👂 [a]	🚫 [a]
....	....
....	....
....	....
....	....

5 Écoute et dis avec tes camarades !

Bla bla bla et bla bla bla...
Le lama de Panama parle avec le chat Pacha.
– Ça va, Pacha ?
– Ça va, Lama !
– Alors, au revoir Pacha !
– Au revoir Lama !

1   Écoute et numérote les dessins.

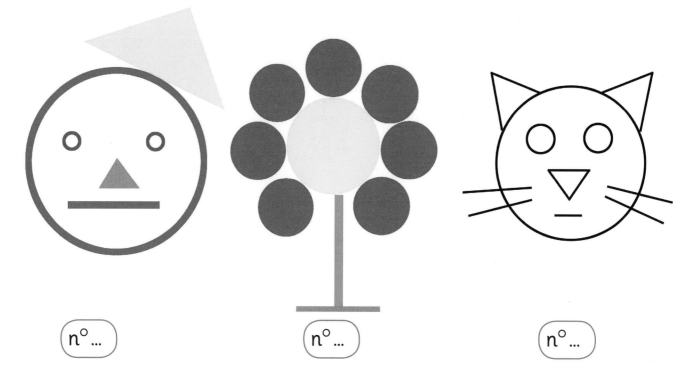

n°...   n°...   n°...

2  Observe. Il y a combien de triangles △, de cercles ◯, de carrés ▢ ?

1 Il y a : *quatre* △.
.... ◯.
.... ▢.

2 Il y a : .... △.
.... ◯.
.... ▢.

3 Il y a : .... △.
.... ◯.
.... ▢.

3  Entoure en ⬭ ou ⬭. Écris <u>un</u> ou <u>une</u>.

.... crayon .... triangle .... poule .... ballon

.... vache .... canard .... fille .... gomme

4 Dessine ton animal préféré. Écris son nom.

Mon animal préféré

C'est ....

DES LETTRES ET DES MOTS

1 Écris le nom des animaux.

2 Lis et complète.

Lila a un ☐☐☐☐ , un ☐☐☐☐☐☐ et un ☐☐☐ .

Félix photographie une ☐☐☐☐☐ et un ☐☐☐ .

JE LIS, JE COMPRENDS

1 **Lis le message de Lila.**

○ ○ ○

Bonjour,

Je m'appelle Lila. J'ai sept ans.

J'ai un petit chat. Il s'appelle Pacha.

J'ai aussi un chien, un âne, un coq,

des poules, des moutons et des vaches.

Et toi, tu as quel âge ? Tu as des animaux ?

Écris-moi vite ! Bisous,

Lila

J'ÉCRIS

1 **Écris à Lila.**

○ ○ ○

Bonjour,

Je m'appelle .... J'ai ....

....

....

....

Bisous,

....

1 À chacun son caddie ! Écoute et relie.

2   Complète le sudoku avec tes camarades.

	1	2	3	4
A	🍋			
B		🍈		🍐
C	🍐			🍊
D			🍐	

3 Complète les phrases.

> une orange - une pomme - un kiwi - une banane -
> un melon - une fraise - un citron - une poire

1. Lila mange une ....

2. Tilou achète une .... et un ....

3. Félix a un .... Il n'a pas de ....

4. Pic Pic mange une ....

5. Madame Bouba a une .... et une   .

Elle n'a pas de ....

4  Lis et dessine les fruits sur l'arbre.

Sur l'arbre de Félix et Lila il y a une pomme, des fraises, des oranges, un melon, deux citrons, des bananes et une poire.

BOUBA FAIT UN RÉGIME !

1 Bouba fait un régime : Qu'est-ce qu'elle mange ? Qu'est-ce qu'elle ne mange pas ?

> Madame Bouba mange des œufs.

> Elle ne mange pas de gâteau.

2 Je vais au marché et j'achète ... Écoute et répète, puis joue avec tes camarades !

> J'achète un melon, des tomates et des pommes !

> J'achète...

> J'achète des pommes !

> J'achète des tomates et des pommes !

3  Qu'est-ce que tu aimes 💚 ? Qu'est-ce que tu n'aimes pas 💔 ? Interviewe tes camarades.

Prénoms								
....								
....								
....								
....								

4 🎧 16 ✏️✏️ **Écoute et coche le dessin si tu entends [o], puis colorie.**

☐ la poire   ☐ la gomme   ☐ le chocolat   ☐ jaune

☐ le citron   ☐ rouge   ☐ le gâteau   ☐ la pomme

5 **Écris les mots dans le tableau.**

👂 [o]	🚫 [o]
....	....
....	....
....	....
....	....

25

C'EST SUCRÉ OU C'EST SALÉ ?

1 Découpe et colle les aliments dans le tableau. Compare avec tes camarades.

sucré	salé	acide

2 Au pays des rimes. Lis la petite poésie, écris les prénoms.

La 🍎, c'est pour Tom.

Tom

Le 🍫, c'est pour ....

Lisette

Le 🥝, c'est pour ....

Le 🍑, c'est pour ....

Lili

La petite 🍆, c'est pour ....

Hugo

La 🥒, c'est pour ....

Manon

Et le 🎂, c'est pour .... !

Marine

Léa

3

Lis et complète avec le - la - les.

1. Lila aime ....

2. .... de Lila s'appelle Pacha.

3. Pacha aime .... et ....

4. Félix photographie .... et .... de Lila.

4 Écris et dessine ce que tu aimes et ce que tu n'aimes pas.

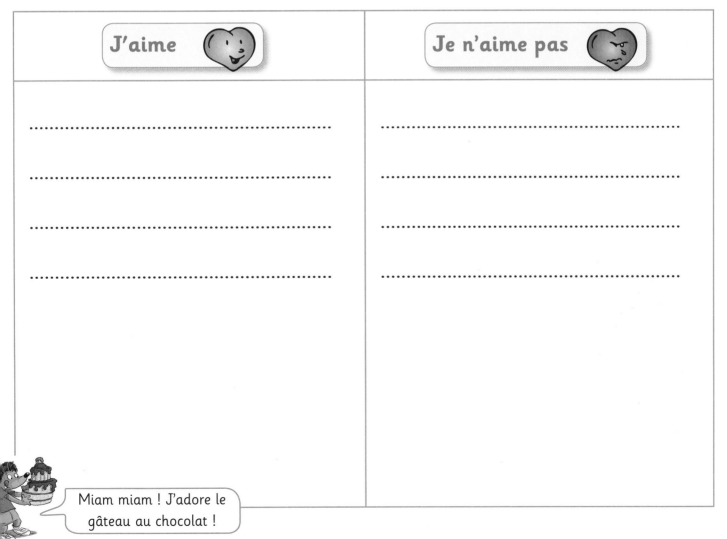

J'aime	Je n'aime pas
....	....
....	....
....	....
....	....

Miam miam ! J'adore le gâteau au chocolat !

DES LETTRES ET DES MOTS

1 Mots en escaliers ! Complète la grille.

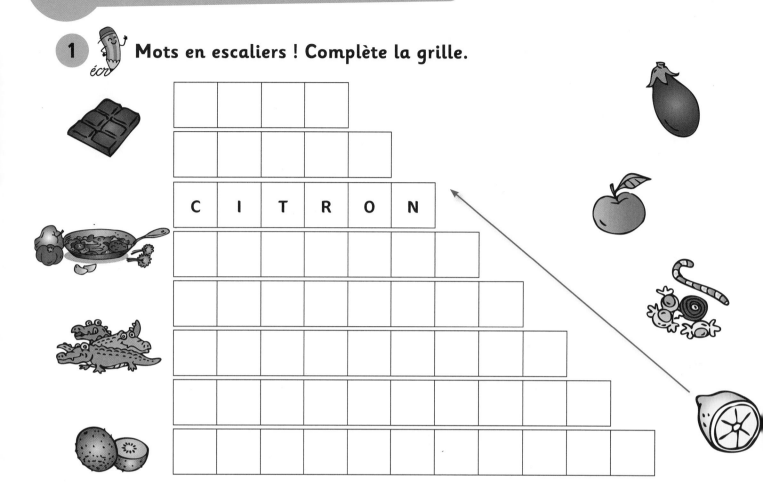

C	I	T	R	O	N

2 Tilou a fait des taches sur sa liste de courses...
Aide-le à retrouver les mots et écris.

- 2 poi____ s
- 3 ci____rons
- des ____aises
- un ki____
- des ____mates
- des bon____s

- 2 ....
- 3 ....
- des ....
- un ....
- des ....
- des ....

JE LIS, JE COMPRENDS

1   Lis et dessine dans le tableau ou .

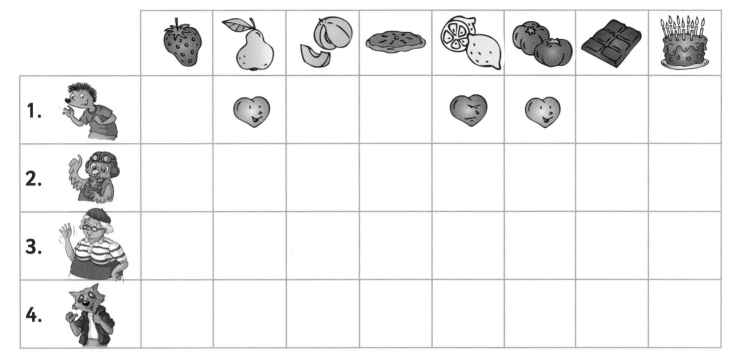

1. Pic Pic aime les poires et les tomates, mais il n'aime pas le citron.

2. Pirouette n'aime pas les poires, mais elle aime le melon et le chocolat.

3. Madame Bouba aime les fraises, mais elle n'aime pas la pizza.

4. Tilou aime les fraises et le gâteau, mais il n'aime pas les tomates.

2   Lis et aide Lila à compter !

Lila achète 2 kilos d'oranges, 1 melon,
1 kilo de tomates et 1 kilo de fraises.
Ça fait combien ?

……… + ……… + ……… + ……… = …………

Ça fait ………………… euros.

J'ÉCOUTE, JE COMPRENDS

1 🎧17 ✏️ Qui parle ? Écoute et écris le numéro du dialogue sous chaque image.

n° ....

n° ....

n° ....

n° ....

2 🎧18 ✏️ Écoute et dessine. Qu'est-ce que Félix aime  ?

Qu'est-ce qu'il n'aime pas ?

JE LIS, JE COMPRENDS

1 Madame Bouba va au marché. Entoure ce qu'elle doit acheter.

Liste des courses :
– 1 kilo de tomates
– 1 kilo de pommes rouges
– 2 citrons
– des fraises

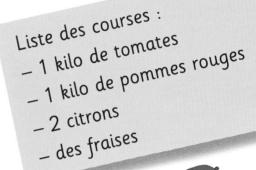

2 Entoure la phrase qui correspond au dessin.

a. Louise a un petit chien et trois poissons rouges.

b. Louise a un petit chien et deux poissons rouges.

c. Louise a un petit chat et deux poissons rouges.

a. Dans le panier il y a des tomates, des courgettes et un citron.

b. Dans le panier il y a des courgettes et des citrons.

c. Dans le panier il y a des tomates et des courgettes, mais il n'y a pas de citron.

J'ÉCRIS

1 **Mets les lettres dans l'ordre et écris le nom des animaux. N'oublie pas <u>un</u> ou <u>une</u> !**

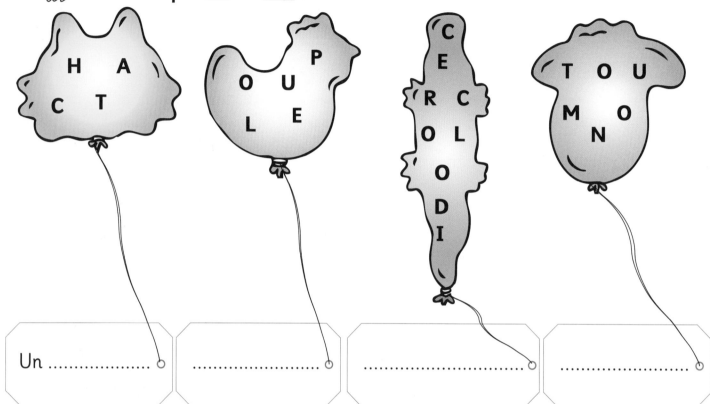

Un .... ○   .... ○   .... ○   .... ○

2 **Lis la fiche de Lila. Complète ta fiche !**

Mon prénom : Lila

Mon âge : 7 ans

J'aime :
– les chats
– les fraises et le chocolat
– le rose

Je n'aime pas :
– les crocodiles
– le citron
– le vert

Mon prénom : ....

Mon âge : ....
J'aime :

– ....

– ....

– ....

Je n'aime pas :

– ....

– ....

– ....

JE PARLE

1   Observe les 2 dessins et nomme les 9 différences.

1 Écoute et frappe dans tes mains. Dessine le nombre de syllabes frappées.

1 Il fait du............ ____ ____ ...

2 Elle fait de la ....

3 Il fait du........................

4 Elle fait du ....

5 Elle fait de la ....

6 Il fait du........................

2 Qui fait quoi ? Entoure d'une même couleur et dis.

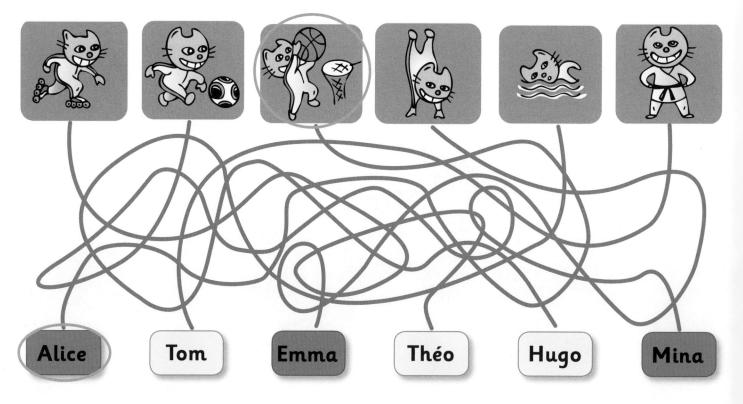

Alice   Tom   Emma   Théo   Hugo   Mina

3 🖊 **Qui fait quoi ? Relie.**

Alice

Théo

Tom

Hugo

Emma

Mina

fait du foot.

fait de la gymnastique.

fait du roller.

fait du basket.

fait du judo.

fait de la natation.

4 🖊 **Splash ! Le message de Félix est tout mouillé !**
écris **Aide Lila à le compléter !**

Lila,
Je fais du f ⬤ avec Pic Pic.

Tilou fait du ⬤ ket.

Bouba fait du ro ⬤ et Pirouette fait

du ⬤ do.

Amuse-toi bien à la piscine ! À bientôt !
Félix

1  Écoute et numérote.

n° ....

n° ....

n° ....

n° ....

n° ....

n° ....

2 Observe et écris chaque mot dans sa silhouette.

la **tête** – le **bras** - la **main** - le **doigt** - la **jambe** – le **pied**

3  Lis, puis écris le nom de chaque extra-terrestre sous le bon dessin.

1. Galax a trois pieds, deux bras et quatre mains. Il a une tête avec 3 yeux.
2. Mobix a trois jambes, quatre bras et une tête avec deux nez.
3. Lenax a deux jambes, quatre mains avec six doigts et un gros nez vert.
4. Bozix a deux bras, deux mains, deux jambes, mais il n'a pas de pieds.

4 21 Écoute et coche si tu entends le son [ɔ̃] comme dans ⚽.

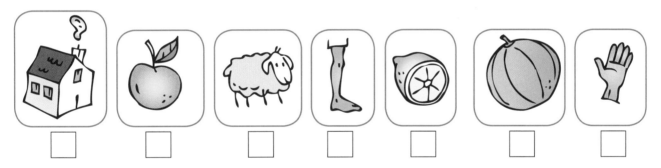

5 Colorie les mots où tu entends [ɔ̃].
Écris-les dans la maison.

le ballon   la poule

le pomme   la jambe

le citron   la natation

le mouton   le judo

la main   le poisson

1 🎧 22 ✏️écr **Écoute et écris V (vrai) ou F (faux).**

2 📄 ✏️écr **Qui est qui ? Lis et écris le prénom de chaque enfant.**

Max est derrière Lisa. Hugo est devant Flora.

....

3 Complète avec : il - elle - ils - elles.

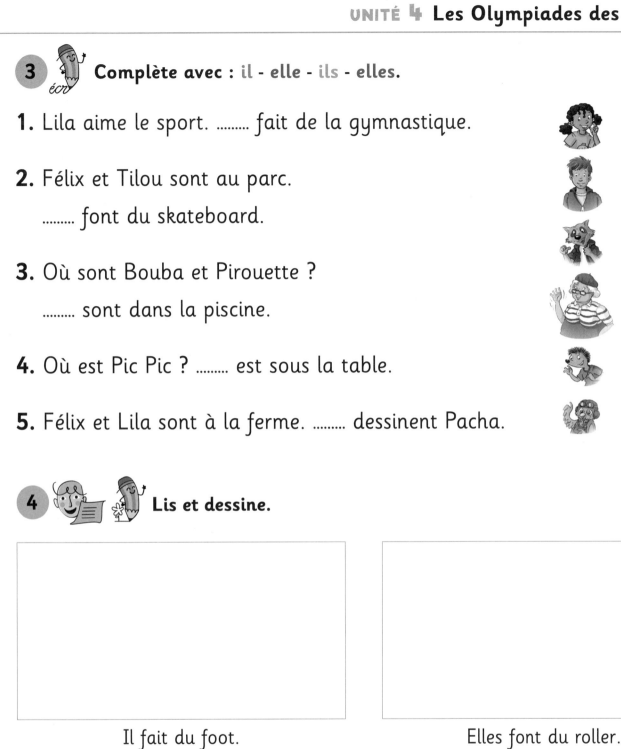

1. Lila aime le sport. .... fait de la gymnastique.

2. Félix et Tilou sont au parc.

.... font du skateboard.

3. Où sont Bouba et Pirouette ?

.... sont dans la piscine.

4. Où est Pic Pic ? .... est sous la table.

5. Félix et Lila sont à la ferme. .... dessinent Pacha.

4 Lis et dessine.

Il fait du foot.	Elles font du roller.
Elle a un ballon rose sur la tête.	Ils lèvent les bras.

DES LETTRES ET DES MOTS

1 Mets les mots dans l'ordre, puis écris une phrase.
Attention, il y a un intrus dans chaque série.

| natation | fait | la | Lila | Félix | du | avec | . | de |

1. ....

| gymnastique | de | font | fait | Ils | la | . |

2. ....

| pommes | pomme | pas | Tilou | . | n' | les | aime |

3. ....

2 Phrases-serpents ! Sépare les mots, puis écris les phrases.

Tiloutournelatêteetlèvelesbras.

1. ....

MadameBoubafaitdurolleretdelagymnastique.

2. ....

1   **Observe l'affiche. Quelles informations trouves-tu ?**

2 **Entoure la date.**   3 **Entoure le nom de la ville.**

J'ÉCRIS

1 **Choisis 2 sports et complète ta fiche d'inscription !**

Ville de Besançon
Grandes Olympiades des enfants
Le 19 avril

Nom : ....

Prénom : ....

Âge : ....

Sport 1 : ....

Sport 2 : ....

J'♥ le sport !

QU'EST-CE QUE TU METS PAPINO ?

1 🎧 23 ✏️ **Écoute et numérote les dessins.**

n°......

n°......

n°......

2 ✏️ **Écris le bon numéro.**

☐ un chapeau		un pull ☐
☐ un manteau		un tee-shirt ☐
☐ des chaussures		une jupe ☐
☐ un pantalon		une cravate ☐

3   **Lis les petits textes, écris le bon prénom sur chaque étiquette, puis colorie.**

> Dans la valise de Papino il y a un pantalon bleu, deux tee-shirts (un vert et un rouge), des chaussures rouges, un chapeau vert, une cravate jaune et des lunettes bleues.

> Dans la valise de Rose il y a un pantalon jaune, une jupe orange, un tee-shirt rose, un pull bleu, un chapeau jaune, des chaussures roses et des balles.

 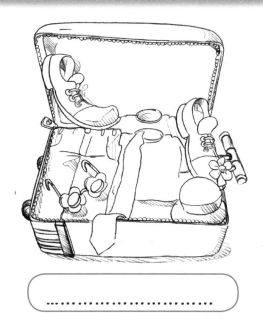

....

4  **Tu pars en voyage avec Rose et Papino ! Qu'est-ce que tu mets dans ta valise ? Dessine et écris.**

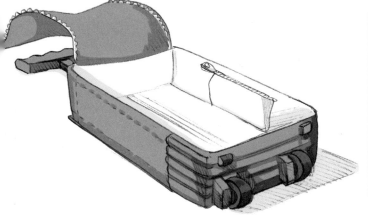

Je mets dans ma valise :

....
....
....
....
....

43

ROSE, ENFANT DU CIRQUE

1 Écoute et trouve la famille de Victor.

La famille de Victor, c'est la famille n°............

2 Aide Tilou à écrire les étiquettes de son album photos.

ma maman - mon papa – mon frère - ma sœur - ma mamie – mon papi

ma

3 Dessine ta famille.

4 Présente ta famille à tes camarades.

5 25 Écoute et coche si tu entends [ã] comme dans .

6 Écris les mots correspondants aux dessins dans la bonne maison. Attention, tu peux écrire un des mots dans les deux maisons !

1 Lis les phrases et écris le bon texte dans les bulles.

1. J'ai peur !
2. C'est MON chapeau !
3. C'est très rigolo !
4. Tu veux des bonbons ?
5. Papa, je suis fatigué !
6. Oh ! Elle est en colère !
7. NON ! C'est MON chapeau !
8. Tu es triste ?

2 Mets les mots dans l'ordre et écris une phrase.
Attention, il y a un intrus !

| pantalon | mon | Je | ma | mets | . |

1. ....

| Je | . | du | fais | papa | foot | avec | mes | mon |

2. ....

| sont | mes | où | ma | ? | chaussures | Mais |

3. ....

3 Le défilé de mode ! Dessine les vêtements de Lila et Félix.

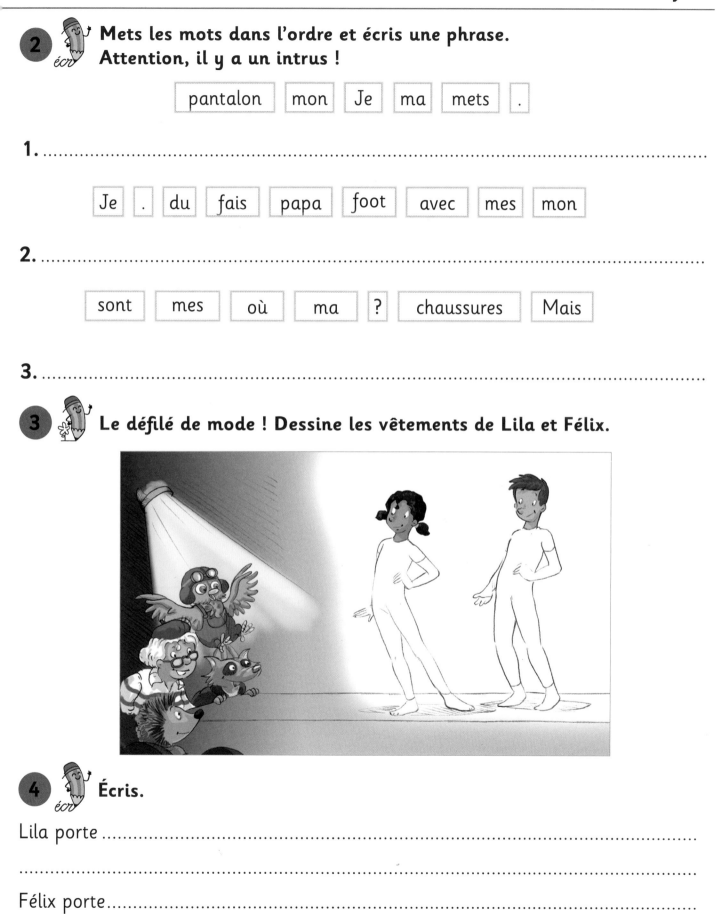

4 Écris.

Lila porte ....

....

Félix porte ....

....

1 Mots-puzzle ! Colorie un même mot d'une même couleur et écris.

cha | ki | ju | pan | fa | ta | do | gué

ta | ti | no | na | mo | lon | peau | tion

1. un chapeau ...

2. ....

3. ....

4. ....

5. ....

6. ....

2 Complète les mots fléchés.

JE LIS, JE COMPRENDS

1  **Qui est la mamie de Lisa ? Lis la devinette et coche la bonne image.**

> La mamie de Lisa n'a pas de chien. Elle ne porte pas de chapeau.
> Elle adore la natation.
> Qui est-ce ?

J'ÉCRIS

1 **Choisis un copain ou une copine, puis écris ta devinette.**

Il (elle) porte ....

Il (elle) ne porte pas de ....

Il (elle) a ....

Il (elle) n'a pas de...

Il (elle) aime...

Il (elle) n'aime pas...

Qui est-ce ?

2  **Lis ta devinette à tes camarades et joue !**

49

1 🎧 (26) Bingo des jeux ! Écoute et joue avec tes camarades.

2 ✏️ Relie.

Il joue aux billes.

Il joue à cache-cache.

Elle joue à la marelle.

Ils jouent aux dominos.

Elles jouent à l'élastique.

Il joue à la corde à sauter.

3  **Qui est qui ? Lis les petits textes, écris le prénom de chaque enfant, puis colorie.**

Lou joue à la corde à sauter avec **Sacha**.
Lou porte une jupe jaune et un tee-shirt orange.
Sacha porte un pantalon rouge et un tee-shirt bleu. **Elle** a des lunettes rouges.

Alix joue aux billes avec **Samir**.
Elle porte un short vert et un tee-shirt rose.
Samir porte un short rouge et un tee-shirt jaune. **Il** aime le chocolat.

....

....

4 **Au pays des rimes ! Aide Tilou à écrire sa chanson.**

Tu aimes jouer aux ....

Et tu t'appelles ....

Tu joues ....

Toi, tu t'appelles Yannick.

Moi je m'appelle ....

J'aime jouer à ....

Et moi dit Timothée

À la ....

   Hip hip hop.....

Gaëlle

Yannick

Camille

Timothée

1 **La journée de classe de Lila. Écoute et numérote dans l'ordre.**

le matin

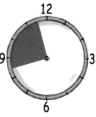

n°......

n°......

n°......

n°......

l'après-midi

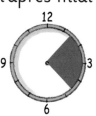

n°......

n°......

n°......

n°......

2 **Écris maintenant l'emploi du temps de Lila.**

le matin	l'après-midi
1.	5. ....
2.	6. ....
3.	7. ....
4.	8. ....

| sport | musique | maths | | français | récré | espagnol |

3 **Colorie en jaune ce qu'il y a dans le cartable de Pirouette.**
Colorie en vert ce qu'il y a dans le cartable de Pic Pic.

| une règle | un crayon | un livre | une gomme |

| un cahier | une flûte | des billes | un stylo |

| des crayons de couleur | une trousse | une fraise | des bonbons |

| des ciseaux | une corde à sauter |

4 **Écris les mots correspondants dans la bonne maison.**

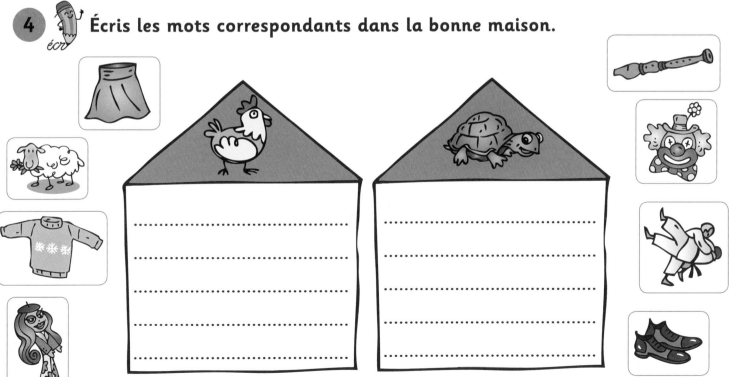

C'EST LA FÊTE DE L'ÉCOLE !

1 Observe les 2 dessins et trouve les 8 erreurs.

2 Relie et complète avec : au, à la, à l', aux.

1. Félix joue .... ping-pong. •

2. Lila joue .... la poupée. •

3. Tilou joue .... cartes. •

4. Madame Bouba joue .... ordinateur. •

5. Pirouette joue .... dominos. •

6. Pic Pic joue .... bingo. •

3 Dessine tes 2 jeux préférés, puis écris.

J'aime jouer ....

....

J'adore jouer ....

....

DES MOTS ET DES PHRASES

1 Un **ou une ? Complète.**

 .... livre

 .... règle

 .... crayon

 .... cahier

 .... corde à sauter

 .... tortue

 .... gomme

 .... stylo

 .... trousse

2  **Complète avec « u » ou « ou ».**

1. Til...... a des l...nettes et des chauss...res r......ges.

2. Cot cot codett chante la p......le !

Bêê bêê chante le m......ton !

Mmmm dit la tort...e !

3 **Phrases-serpents ! Sépare les mots, puis écris les phrases.**

 Tilou/joueauxcartesavecPirouette.

1. ....

 Tuveuxjoueràlamarelleavecmoi ?

2. ....

Dansmoncartableilyadeslivresetdescahiers.

3. ....

56

JE LIS, JE COMPRENDS

1 Lila écrit dans son cahier de français. Lis son texte.

Je m'appelle Lila. J'ai sept ans.

J'habite dans une ferme et j'adore les animaux !

J'ai un petit chat. Il s'appelle Pacha et il est très rigolo.

J'aime faire du judo. A la récré, j'adore jouer à l'élastique

avec mes copines.

2 Complète le tableau.

	a b c d e f	a b c d e f
	un chapeau	....
	....	une poire
	....	....
	un clown	....
	....	un vélo
	des	....
	un stylo	....

a b c d
e f g h i j
k l m n
o p q r s
t u v w
x y z

1 🎧 28 ✏️ Écoute et écris le numéro du dialogue sous chaque image.

n°.........

n°.........

n°.........

n°.........

2 🎧 29 ✏️ Écoute et entoure la bonne image.

JE LIS, JE COMPRENDS

1 **Relie chaque phrase à la bonne image.**

Il fait du judo.

Ils font du vélo.

Elles font du judo.

Elle va à l'école.

Il joue de la flûte.

Elle joue aux billes.

2   **Lis le message de Léo et coche la bonne photo.**

Salut les amis,
Voici la photo de ma classe. Il y a 7 garçons et 8 filles.
Ma maîtresse s'appelle Marion. Elle porte un pantalon rouge
et un pull vert. Elle est super sympa !
Sur la photo il y a aussi Sélim, le professeur de musique.
Il a des lunettes bleues et un petit chapeau.
Bisous,
             Léo

1 À l'école. Écris l'emploi du temps de la journée.

À l'école aujourd'hui :

1 : ....

2 : ....

3 : ....

4 : ....

2 Qu'est-ce que tu aimes ? Complète le questionnaire.

Mon animal préféré, c'est ....

Mon fruit préféré, c'est ....

Mon vêtement préféré, c'est ....

Mon sport préféré, c'est ....

Ma matière préférée à l'école, c'est ....

Mon jeu préféré à la récré, c'est ....

Mon jeu préféré à la maison, c'est ....

Mon cadeau préféré, c'est ....

JE PARLE

1   La famille de Rose. Regarde la photo et dis ce que tu vois.

2 Tu vas à l'école. Qu'est-ce que tu mets dans ton cartable ?

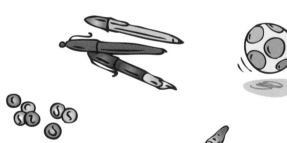

JOYEUX NOËL !

1 **Lis le message de Manon.**

De : Manon
À : Perenoel@leciel.com

Cher Père Noël,

Je m'appelle Manon.

J'ai sept ans et j'habite à Lyon.

Pour Noël, je voudrais s'il te plaît :
– des rollers
– un jeu vidéo
– une BD
– un kimono

Merci ! Gros bisous !
Manon

PS : Fais attention ! Il fait très froid !

2 **Entoure les cadeaux que Manon demande au Père Noël.**

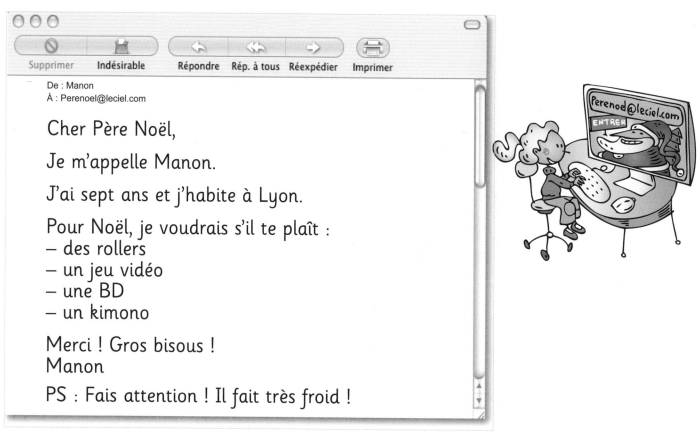

3 Écris ta lettre au Père Noël.

Bienvenue sur le blog de Père Noël.com

● ● ●

Cher.. .

Je m'appelle..

J'ai.........................et j'habite à ....

Pour Noël, je voudrais s'il te plaît :

    -.. .

    -..

    -..

    -..

Merci ! Gros bisous !

    ....

4 Dessine sous le sapin les cadeaux que tu demandes au Père Noël, puis colorie.

1 Relie les mots aux dessins.

la galette •

la fève •

la couronne •

le roi •

la reine •

2 Mots mêlés ! Colorie les mots que tu connais.

c	o	u	r	o	n	n	e
i	s	a	u	l	i	o	n
o	e	u	f	s	l	ë	o
r	o	i	e	f	a	l	s
a	n	o	c	q	u	e	r
b	e	u	r	r	e	t	e
u	s	e	v	o	r	o	i
f	è	v	e	m	i	e	n
o	g	a	l	e	t	t	e

C'EST CARNAVAL !

1   **Lis les petits textes, relie au bon dessin et colorie.**

a. La fée a un chapeau rose, une jupe jaune et une baguette magique.

b. Le pirate a un pantalon noir, un tee-shirt rouge et noir et un grand chapeau noir.

c. Zorro a un pantalon noir, un tee-shirt noir et un chapeau noir.
Son cheval est noir.

d. La sorcière a un chapeau noir, une grande jupe noire, un pull vert et un chat noir.

2   **Félix s'est déguisé ! Colorie le dessin.**

3 : noir
4 : jaune
5 : rouge
6 : vert
7 : bleu
8 : rose

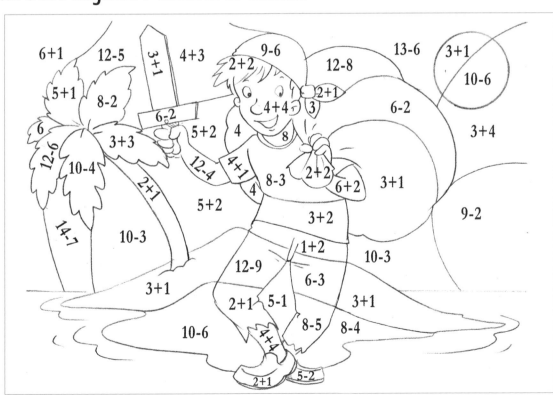

Félix est déguisé en ....

POISSON D'AVRIL !

1 Lis et écris **V** (vrai) ou **F** (faux).

1 Le poisson porte des lunettes. ☐

2 La petite fille mange une pomme. ☐

3 Il y a une vache derrière la maison. ☐

4 Le chat fait du ski. ☐

5 Le canard chante une chanson. ☐

6 La mamie découpe un poisson. ☐

2 🎧30 Écoute et relie les nombres. Que découvres-tu ?

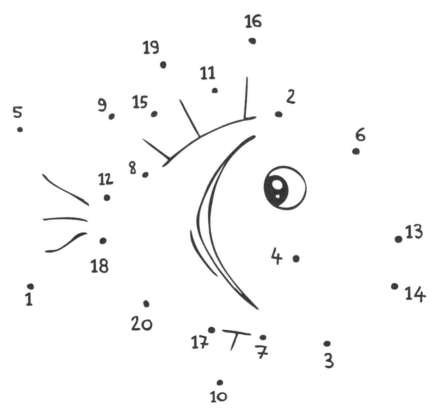

C'EST LE PRINTEMPS !

1  **Lis et colorie.**

1 Colorie en rose les œufs qui sont **dans** le panier.

2 Colorie en vert les œufs qui sont **devant** le panier.

3 Colorie en rouge les œufs qui sont **sur** la table.

4 Colorie en jaune les lapins qui sont **derrière** la maison.

5 Colorie en bleu les lapins qui sont **dans** le jardin.

MON PETIT DICTIONNAIRE

UNITÉ 1

	Bonjour !	3	trois		J'ai neuf ans.
	Salut !	4	quatre		bleu
	Au revoir !	5	cinq		jaune
	Je m'appelle Félix.	6	six		orange
	le front	7	sept		rose
	le menton	8	huit		rouge
	le nez	9	neuf		vert
	les yeux	10	dix		le ballon
1	un	11	onze		le crocodile
2	deux	12	douze		le poisson

UNITÉ 2

	la ferme		le lapin		le trait
	les animaux		le mouton		le triangle
	l'âne		l'œuf les œufs		le crayon
	le canard		la poule		la gomme
	le chat		le poussin		à droite
	le chien		la vache		à gauche
	le coq		le carré		au milieu
	le lama		le cercle		

UNITÉ 3

le marché		l'oignon		le pain
le fruit / les fruits		l'orange		la pizza
le légume / les légumes		la poire		acide
l'aubergine		le poivron		salé
la banane		la pomme		sucré
la carotte		la tomate		la brosse à dents
le citron		la ratatouille		la dent
la courgette		le gâteau		les enfants
la fraise		les bonbons		j'aime
le kiwi		les frites		j'adore
le melon		le fromage		je n'aime pas

UNITÉ 4

le sport / Je fais du sport.		la piscine		Je claque des doigts.
le basket		la table		Je frappe des mains.
le foot / le football		le tatami		Je tape des pieds.
la gymnastique		le vélo		Je tourne la tête.
la natation		le bras		Je lève les bras.
le roller		le coude		sur
le ski		le doigt		sous
le casque		la main		dans
le cerceau		la jambe		devant
le kimono		le pied		derrière
les lunettes		la tête		

JE METSI PUT JE
PORTEF WEAR

UNITÉ 5

	le cirque		le tee-shirt		l'éléphant
	le clown		la valise		J'ai peur.
	le chapeau		la famille		Je suis en colère.
	les chaussures		le frère		Je suis fatigué.
	la cravate		la maman		Je suis joyeux.
	la jupe		la mamie		Je suis triste.
	le manteau		le papa		Je suis timide.
	le pantalon		le papi		
	le pull		la sœur		

UNITÉ 6

	l'école		le professeur		la trousse
	la récré la récréation		l'espagnol		le stylo
	la bille Je joue aux billes.		le français		la fête de l'école
	cache-cache Je joue à cache-cache.		les maths		la balle
			la musique		le chamboule-tout
	la corde à sauter		le cahier		la course en sac
	les dominos		le cartable		le hip hop
	l'élastique		les ciseaux		le ping-pong
	la marelle		la flûte		la crêpe
	les cartes		le livre		la tortue
	la maîtresse		l'ordinateur		la casquette

70

JOURS DE FÊTES POUR LES ENFANTS

	Noël		la poupée		le roi
	le Père Noël		les rollers		Carnaval
	la boule		le skateboard		la fée
	la cheminée		la galette des rois		le pirate
	la hotte		le beurre		la sorcière
	le sapin de Noël		la couronne		le chou
	le cadeau		la fève		le fermier
	le jouet les jouets		la reine		la moustache
	le jeu vidéo				

POUR APPRENDRE EN CLASSE

	J'écoute.		Je dessine.
	Je parle.		Je relie.
	Je lis.		Je colorie
	J'écris.		Je découpe.
	J'observe.		Je colle.
	Je numérote.		Je chante.
	J'entoure.		Je coche.

Édition : Brigitte Marie
Création maquette : Dagmar Stahringer
Mise en page : Christine Paquereau
Illustrations : Paul Beaupère, Xavier Husson, Oscar Fernandez
Couverture : Fernando San Martin

CLE International, 2018
ISBN : 978-209-038417-8

Projet : 10280506
Imprimé en décembre 2021 par Estimprim - 25110 Autechaux